U0314081

中华人民共和国纺织行业标准

夹套管施工及验收规范

Code for construction and acceptance of
jacketed pipe

FZ 211-2013

代替 FJJ 211-86

主编部门:中 国 纺 织 工 业 联 合 会
批准部门:中华人民共和国工业和信息化部
施行日期:2 0 1 4 年 3 月 1 日

中国计划出版社

2015 北 京

中华人民共和国纺织行业标准

夹套管施工及验收规范

FZ 211-2013

代替 FJJ 211-86

☆

中国计划出版社出版

网址：www.jhpress.com

地址：北京市西城区木樨地北里甲 11 号国宏大厦 C 座 3 层

邮政编码：100038　电话：(010)63906433(发行部)

新华书店北京发行所发行

三河富华印刷包装有限公司印刷

850mm×1168mm　1/32　2.5 印张　60 千字

2015 年 6 月第 1 版　2015 年 6 月第 1 次印刷

印数 1—3000 册

☆

统一书号：1580242·653

定价：25.00 元

中华人民共和国工业和信息化部

公　告

（2013 年　第 52 号）

工业和信息化部批准《甲基丁烯醇聚醚》等 811 项行业标准（标准编号、名称、主要内容及起始实施日期见附件），其中：化工行业标准 149 项、有色行业标准 105 项、黄金行业标准 5 项、冶金行业标准 15 项、建材行业标准 3 项、机械行业标准 39 项、航空行业标准 69 项、船舶行业标准 53 项、汽车行业标准 42 项、纺织行业标准 63 项、轻工行业标准 59 项、石化行业标准 42 项、民爆行业标准 1 项、电子行业标准 50 项、通信行业标准 116 项，现予发公告。

以上化工行业标准由化工出版社出版，纺织、有色及黄金行业标准由中国标准出版社出版，冶金行业标准由冶金工业出版社出版，建材行业标准由建材工业出版社出版，机械行业标准由机械工业出版社出版，航空行业标准由中国航空综合技术研究所组织出版，船舶行业标准由中国船舶工业综合技术经济研究院组织出版，汽车行业标准由中国计划出版社出版，轻工行业标准由中国轻工业出版社出版，石化行业标准由中国石化出版社出版，民爆行业标准由中国兵器工业标准化研究所组织出版，电子行业标准由工业和信息化部电子工业标准化研究院组织出版，通信行业标准由人民邮电出版社出版。

附件：811 项行业标准编号、名称、主要内容等一览表

中华人民共和国工业和信息化部

2013 年 10 月 17 日

811 项行业标准编号、名称、主要内容等一览表

序号	标准编号	标准名称	标准主要内容	代替标准	采标情况	实施日期
……						
	纺织行业					
……						
578	FZ 211—2013	夹套管施工及验收规范	本规范规定了夹套管管道及管件加工、夹套管材料及元件的检验、夹套管预制、夹套管焊接、夹套管及附件的安装、夹套管的检验、夹套管系统的试验、夹套管系统的吹扫和清洗、夹套管工程交工验收的要求。本规范适用于工作压力不大于25MPa，工作温度－20℃～350℃范围以内的钢制夹套管管道工程的施工及验收	FJJ-211—1986		2014-03-01
……						

前　　言

　　本规范是根据工业和信息化部《2009 年第一批工业行业标准制修订计划》（工信厅科〔2009〕104 号）的要求，由中国纺织工业设计院会同有关单位对原《夹套管施工及验收规范》FJJ 211—86 进行修订而成。

　　本规范在修订过程中，编制组针对原规范中存在的问题，进行了广泛的调查研究，总结了近些年夹套管施工和验收方面的实践经验，参考了有关国内标准和国外先进标准，并征求了有关设计、施工、生产等单位的意见，对其中的主要问题进行了多次讨论，最后经审查定稿。

　　本规范共分 11 章，主要内容包括总则、术语、夹套管管道及管件加工、夹套管材料及元件的检验、夹套管预制、夹套管焊接、夹套管及附件的安装、夹套管的检验、夹套管系统的试验、夹套管系统的吹扫和清洗、夹套管工程的交工验收。

　　本规范修订的主要内容是：

　　1. 按照夹套管的加工及施工过程重新编排了章节。

　　2. 增加了"术语"、"夹套管管道及管件加工"两章。

　　3. 增加了"夹套管预制"一章中导流板、隔板和端板的内容。

　　4. "夹套管的检验"一章增加了超声波检测的内容，增加了焊缝表面无损检测的内容。

　　5. "夹套管系统的试验"一章取消了《夹套管施工及验收规范》FJJ 211—86 中涉及的氟利昂检漏试验。增加了目前常用且有效的氦检漏方式。

　　6. 相关的管道规范近年多有修订，本规范与之相关的内容均作了相应修改。

7.增加了强制性条文。

本规范中第 9.4.1(1)条(款)为强制性条文,以黑体字标志,必须严格执行。

本规范由中国纺织工业联合会负责管理,由中国纺织勘察设计协会负责日常管理,由中国纺织工业设计院负责具体技术内容的解释。本规范执行过程中如有意见或建议,请寄送中国纺织工业设计院(地址:北京市海淀区增光路 21 号,邮政编码:100037),以便今后修订时参考。

本规范主编单位、参编单位、主要起草人和主要审查人:

主 编 单 位:中国纺织工业设计院

参 编 单 位:江苏中核华纬工程设计研究有限公司

　　　　　　浙江省工业设备安装集团有限公司

主要起草人:朱志伟　赵明娟　樊跃忠　屈振伟　朱绍卿

　　　　　　张宇航　袁红兰　张万和　宋志海　费岩峰

主要审查人:刘福安　刘承彬　蔡小平　邓华欢　陈玉林

　　　　　　夏节文　尤世怀　罗伟国　杨　星　羌培华

　　　　　　毛超英　顾　奕　卞　华

目　　次

Contents

1 总　　则

1.0.1 为了提高纺织工业装置夹套管道施工水平,保证工程质量,制定本规范。

1.0.2 本规范适用于工作压力不大于 25MPa,工作温度－20℃～350℃范围以内的钢制夹套管管道工程的施工及验收。

1.0.3 当需要修改设计文件及材料代用时,必须经原设计单位同意,并应出具书面文件。

1.0.4 夹套管的施工及验收除应执行本规范外,尚应符合国家现行有关标准的规定。

2 术 语

2.0.1 夹套管　jacketed pipe
由内管和外管组成的管道,包括管道组成件(内管、外管及管件)和管道支承件。

2.0.2 夹套跨接管　jacketed cross-over pipe
夹套管系统中跨接法兰、阀门、端板等隔断部位的连通管。

2.0.3 内管焊缝外露式　uncovered welding seam of core pipe
夹套管内管所有焊缝均在外部可见的形式。

2.0.4 内管焊缝隐蔽式　covered welding seam of core pipe
夹套管内管所有焊缝均被夹套管外管遮盖的形式。

2.0.5 定位板　spacer plate
焊接在内管外壁,使外管与内管保持一定间距的元件。

2.0.6 隔板　partition plate
分隔夹套管外管与内管之间空腔的环形板。

2.0.7 导流板　baffle plate
沿管道轴向,焊接于内管外壁的钢板或圆钢。

2.0.8 端板　end plate
用于套管端部与内管外部连接形成封闭空间的钢板。

3 夹套管管道及管件加工

3.1 一般规定

3.1.1 夹套管制造所用的管道、管件及其材料应具有制造厂的质量证明文件,其特性数据应符合国家现行有关标准和设计文件的规定。

3.1.2 夹套管制造所用的管道、管件及其材料应符合下列规定:

1 使用前应按国家现行有关标准和设计文件的规定核对其材质、规格、型号、数量和标识,并应进行外观质量和几何尺寸检查验收,检验结果应符合设计文件和相应产品标准的规定;

2 管道、管件及其材料标识应清晰完整,并应能够追溯到产品质量证明文件;

3 对管道、管件及其材料的性能数据或检验结果有异议时,在异议未解决前,该批管道、管件不得使用。

3.1.3 管道、管件在加工过程中应及时进行标记移植。不锈钢材料不得使用硬印标记。不锈钢材料采用色码标记时,印色不应含有对材料产生损害的物质。

3.1.4 管道、管件应按材质分区存放,不锈钢管道、管件不得与碳素钢、低合金钢混合存放。

3.2 管道和管件的加工

3.2.1 夹套管制造单位应根据设计文件,在减少焊缝数量的原则下合理确定管道分段范围。外管宜预留调整管段,调节裕量宜为50mm～100mm。

3.2.2 钢管切割质量应符合下列规定:

1 切口表面应平整,尺寸应正确,并应无裂纹、重皮、毛刺、凹

凸、缩口、熔渣、氧化物、铁屑等现象;

    2 钢管切口端面倾斜偏差(图 3.2.2)不应大于本规范表 3.2.2 的规定。

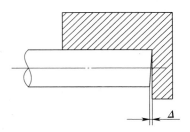

图 3.2.2 钢管切口端面倾斜偏差

△—钢管切口端面倾斜偏差

表 3.2.2 钢管切口端面倾斜偏差 (mm)

管道公称直径	25～65	80～100	125～150	＞150
偏差	0.5	0.7	0.9	1.2

3.2.3 半壳管应符合设计文件的要求,切口应平直,复原焊接管口椭圆度不得超过 8%,焊缝内表面应平整无凸瘤。

3.2.4 管道坡口加工应符合设计文件或国家现行有关标准的要求。

3.2.5 弯头制造时应根据设计文件或现行国家标准《气焊、焊条电弧焊、气体保护焊和高能束焊的推荐坡口》GB 985.1、《埋弧焊的推荐坡口》GB 985.2 的有关规定加工焊接坡口。

3.2.6 异径管、三通制作应符合下列规定:

    1 夹套管内管三通及夹套管内、外管异径管应符合现行国家标准《钢制对焊无缝管件》GB/T 12459 和《钢板制对焊管件》GB/T 13401的有关要求;

    2 夹套管外管三通采用压制剖切(图 3.2.6)时,应根据实际情况选用横切或纵切形式。切口应平直,复原焊接管口椭圆度不得超过 8%,焊缝内表面应平整无凸瘤。

(a)横切形式 (b)纵切形式

图 3.2.6 夹套管外管三通剖切图

4 夹套管材料及元件的检验

4.1 一 般 规 定

4.1.1 夹套管制造所用的材料及元件应具有制造厂的质量证明文件,其特性数据应符合国家现行有关标准和设计文件的规定。

4.1.2 夹套管材料及元件标识应清晰完整,并应能够追溯到产品质量证明文件。当对管道元件或材料的性能数据或检验结果有异议时,在异议未解决前,该批管道元件或材料不得使用。

4.1.3 凡按规定作抽样检查或检验的样品中,若有一件不合格,应按原规定数加倍抽检,若仍有不合格,应对该批管件全部检验,不合格者不得使用,并应做好标识和隔离。

4.1.4 应对夹套管管道及管件材质进行抽样检验,并应做好标识。

抽样检验数量:每个检验批(同炉批号、同型号规格、同时到货)抽查 5%,且不应少于一件。

检验方法:采用光谱分析或其他材质复验方法,检查光谱分析或材质复验报告。检验结果应符合国家现行有关标准和设计文件的规定。

4.2 钢管的检验

4.2.1 夹套管使用的钢管,使用前应按设计文件要求核对钢管的规格、数量和标识。

4.2.2 钢管的质量证明文件至少应包括下列内容:

    1 产品标准号;

    2 钢的牌号;

    3 炉罐号、批号、交货状态、重量和件数;

    4 品种名称、规格及质量等级;

5 产品出厂合格证书和订货合同中规定的各项检验结果报告。

4.2.3 当钢管的牌号、炉罐号、批号、交货状态与质量证明文件不符时,该批钢管不得使用。

4.2.4 设计文件规定进行晶间腐蚀试验的钢管,供货方应提供晶间腐蚀试验结果的文件,且试验结果不得低于设计文件的规定。

4.2.5 钢管的外径和壁厚、公差应符合设计文件或相应的无缝钢管或有缝焊接钢管标准的规定。

4.2.6 钢管的表面质量应符合下列规定:

    1 钢管内、外表面不得有裂纹、折叠、发纹、扎折、离层、结疤等缺陷;

    2 钢管表面的锈蚀、凹陷、划痕及其他机械损伤的深度不应超过相应产品标准允许的壁厚负偏差;

    3 钢管端部螺纹、坡口的加工精度及粗糙度应达到设计文件或制造标准的要求;

    4 有符合产品标准规定的标识。

4.2.7 设计压力等于或大于 10MPa 的钢管应进行外表面磁粉检测或渗透检测,检测结果不应低于现行行业标准《承压设备无损检测》JB/T 4730 规定的Ⅰ级。对检测发现的表面缺陷经修磨清除后的实际壁厚不得小于管道公称壁厚的 90%,且不得小于设计壁厚。

    检验数量:每个检验批抽查 5%,且不应少于 1 个。

    检验方法:检查磁粉或渗透检测报告,检查测厚报告。

4.2.8 钢管的外表面发现的线性缺陷应进行修磨,修磨后钢管的实际壁厚不得小于管道公称壁厚的 90%,且不得小于设计壁厚。

4.3 管件的检验

4.3.1 对管件的产品质量证明文件应进行核对,且应符合产品标准的要求。

4.3.2 管件外表面应有制造厂代号(商标)、规格、材料牌号和批号等标识,并与质量证明文件相符。

4.3.3 管件的表面不得有裂纹,外观应光滑、无氧化皮,表面的其他缺陷不得超过产品标准规定的允许深度。坡口、螺纹加工精度应符合产品标准的要求。焊接管件的焊缝应成型良好,且与母材圆滑过渡,不得有裂纹、未熔合、未焊透、咬边等缺陷。

4.3.4 设计压力等于或大于 10MPa 的管件应按本规范第 4.2.7 条的规定进行无损检测。

4.3.5 管件的几何尺寸、表面粗糙度及弯头、异径管、三通的主要尺寸偏差应符合夹套管设计文件及现行相关标准的要求。

4.4 夹套管法兰及其连接件的检验

4.4.1 夹套管使用的法兰应符合设计文件及本规范的有关要求。法兰的检验可参考现行行业标准《钢制管法兰》(class 系列) HG/T 20615。法兰产品标准号、公称尺寸、公称压力、材质及密封面型式代号应与质量证明书相符。

4.4.2 法兰的螺栓连接孔间距(图 4.4.2)允许误差 ΔL 应为 ±0.5mm。

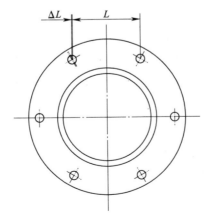

图 4.4.2 法兰螺栓连接孔间距

4.4.3 法兰密封面应平整,不得有锈蚀和径向划痕。

4.4.4 非金属垫片的边缘应切割整齐,表面应平整光滑,不得有气泡、分层、折皱、划痕等缺陷。

4.4.5 金属垫片加工的尺寸、精度、光洁度及硬度应符合设计规定要求。表面应无裂纹、毛刺、凹槽、径向划痕及锈蚀等缺陷。

4.4.6 金属包覆垫片不得有松散、翘曲现象,其表面不得有影响密封性能的伤痕、空隙、凹凸不平及锈斑等缺陷。

4.4.7 螺栓、螺母的材质和硬度应符合设计规定要求,螺纹应完整,无锈蚀、毛刺、伤痕、裂纹等缺陷。螺栓、螺母应配合良好。

4.4.8 合金钢螺栓、螺母应采用光谱分析或其他方法对材质进行复验,并应做好标识。设计压力等于或大于 10MPa 的夹套管法兰用螺栓、螺母应逐件进行硬度抽样检验。检验结果应符合国家现行有关产品标准和设计文件的规定。

检验数量:每个检验批(同制造厂、同型号规格、同时到货)抽取 2 套。

检验方法:检查光谱分析或材质复验报告,检查硬度检验报告。

4.5 管道支承件的检验

4.5.1 管道支承件的材质、规格、型号、质量应符合设计文件的规定,不合格者不得使用。

4.5.2 夹套管支、吊架所用的弹簧,外观构造、尺寸和材质应符合设计文件要求,并应有制造厂的合格证。

4.5.3 夹套管弹簧支、吊架出厂时,应按国家或有关标准进行安全压缩变形试验和工作负荷压缩试验。在试验报告中,应注明极限压缩拉伸和剪切数值。弹簧压缩量应在规定的允许偏差以内。

4.5.4 夹套管弹簧支、吊架上应附有弹簧的拉伸、压缩标尺。

4.5.5 弹簧支、吊架出厂时,定位销应锁在安装荷载位置上。

4.6 阀门的检验

4.6.1 阀门安装前应进行外观质量检查,阀体应完好,开启机构应灵活,阀杆应无歪斜、变形、卡涩现象,标牌应齐全。

4.6.2 阀门应进行壳体试验和密封试验,除波纹管密封阀门外,具有上密封结构的阀门还应进行上密封试验,不合格者不得使用。

4.6.3 阀门的壳体试验压力应为阀门在 20℃ 时最大允许工作压力的 1.5 倍,密封试验压力应为阀门在 20℃ 时最大允许工作压力的 1.1 倍;当阀门铭牌标示对最大工作压差或阀门配带的操作机构不适宜进行高压密封试验时,试验压力应为阀门铭牌标示的最大工作压差的 1.1 倍;阀门的上密封试验压力应为阀门在 20℃ 时最大允许工作压力的 1.1 倍。

4.6.4 夹套阀门的夹套部分应采用设计压力的 1.5 倍进行压力试验。

4.6.5 阀门在试验压力下的持续时间不得少于 5min。无特殊规定时,试验介质温度应为 5℃～40℃,当低于 5℃ 时,应采取升温措施。

4.6.6 阀门壳体压力试验以壳体填料无渗透为合格。阀门密封试验和上密封试验应以密封面不漏为合格。

4.6.7 在阀门制造厂进行过阀门压力试验、密封试验和上密封试验,试验合格并且确保在阀门运输、装卸过程中无损伤的,可不进行阀门压力试验、密封试验和上密封试验。

5 夹套管预制

5.1 一般规定

5.1.1 夹套管预制前所需的管道、管件、法兰等,内部应已清理干净,无杂物。

5.1.2 夹套管预制前应合理安排组对顺序、制订内外管分段切割计划,应使焊缝数量最少。当设计无规定时,可采用制订的分段切割计划(图 5.1.2)。

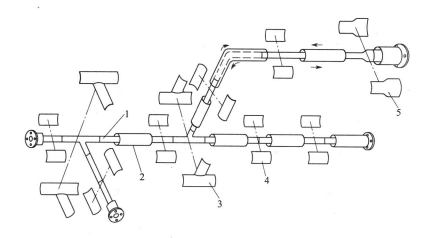

图 5.1.2 夹套管道分段切割计划图

1—内管;2—外管;3—纵剖三通;4—调节半管;5—纵剖异径管

5.1.3 夹套管预制分段应以方便运输和易于安装尺寸的调整为原则。调整段裕量宜为 50mm～100mm。夹套管预制应满足管道坡度,垫片厚度,支、吊架位置,焊缝布局,检测点(温度计、压力表接头等)开孔等要求。

5.1.4 夹套管预制管道组合件应满足刚度要求,不得产生永久变形。

5.1.5 夹套管预制过程中应确保内管的焊缝裸露可见。在内管检验合格前不得进行外管封闭焊接。

5.1.6 夹套管的内、外管规格应符合设计文件规定,内管与外管之间的间隙应均匀。

5.1.7 管道下料切割应符合本规范第3.2.2条的规定。

5.1.8 夹套管预制时,外管应比相应内管短50mm～100mm,外管封焊由调整半管实测尺寸补偿。

5.1.9 夹套管异径管宜采用标准管件。夹套管异径管对接(图5.1.9)时,内、外异径管大口径端面应错开,错开距离宜为50mm,外管异径管进行纵向剖切可作调整半管使用。

(a)同心异径管   (b)偏心异径管
图 5.1.9 夹套管异径管对接
1—异径管;2—调节半管

5.1.10 内管焊缝外露式夹套管预制时,管帽或端板焊缝距离内管焊缝或法兰面的距离应满足检验和下一工序施工的要求。

5.1.11 输送高黏度介质的夹套管的内管接口形式应符合设计文件规定。

5.1.12 输送高黏度介质的夹套内管内表面焊缝可采用机械或手工方法进行打磨和抛光,焊缝表面应平整光滑,且粗糙度应符合设计文件规定。

5.1.13 夹套管预制应保证直线性和水平转角、立体转角的准确性。每组段各部尺寸应符合设计文件规定,且预制管段的各项允许偏差(图5.1.13)应符合下列规定:

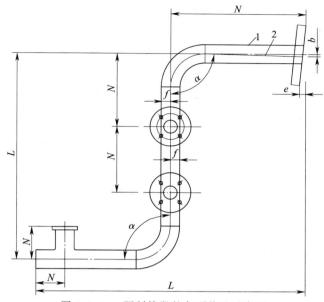

图 5.1.13 预制管段的各项偏差示意图

1—外管;2—内管

1 长度(L)允许偏差值应符合表 5.1.13 的规定;

表 5.1.13 长度(L)允许偏差(mm)

长　度(L)	允　许　偏　差
L≤100	±1.0
100<L≤250	±1.5
250<L≤650	±2.0
650<L≤1000	±2.5
1000<L≤1600	±3.0
1600<L≤2500	±3.5
2500<L≤4000	±4.0
4000<L≤6500	±5.0
6500<L≤10000	±6.0
L>10000	±7.0

2 间距(N)的允许偏差应为±1mm；

3 角度 α 允许偏差(b)，内管每米不应大于 1.5 mm，外管每米不应大于 3mm，沿管段全长的最大偏差不得大于 5mm；

4 法兰面垂直度偏差(e)应符合本规范第 5.2.2 条的规定；

5 法兰两相邻的螺栓孔应跨中布置，且螺栓孔与中心线的距离(f)的允许偏差应为±1mm。

5.1.14 夹套弯管的外管组焊应在内管预制完毕并经无损检测合格后进行。夹套弯管的外管和内管应保证同轴，且同轴度偏差应符合本规范第 7.2.4 条的规定。

5.2 夹套管法兰

5.2.1 夹套管法兰形式应符合设计文件规定。

5.2.2 夹套管法兰与管道连接时，法兰面的垂直度（图 5.2.2）应符合表 5.2.2 的规定。

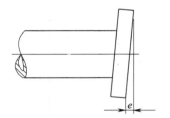

图 5.2.2 法兰面垂直度示意图

e—法兰面的垂直度

表 5.2.2 法兰面垂直度 （mm）

法兰外径(D)	垂直度
$D \leqslant 100$	$\leqslant 0.4$
$100 < D \leqslant 200$	$\leqslant 0.6$
$D > 200$	$\leqslant 0.8$

5.2.3 榫槽面法兰、凸凹面法兰安装(图5.2.3),榫面或凸面与流体方向应保持一致。

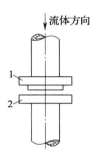

图5.2.3 榫槽面法兰、凸凹面法兰安装示意图

1—凸(榫)面法兰;2—凹(槽)面法兰

5.2.4 预制完成的法兰里口焊缝应光滑,密封面不得有刮伤、凹坑及径向划痕,端面应妥善密封保护。

5.3 定 位 板

5.3.1 定位板材质应与夹套管的内管材质相同,并应与内管焊接牢固。

5.3.2 定位板与外管内壁间隙 δ(图5.3.2)宜大于1.5mm,几何尺寸应按设计文件规定。

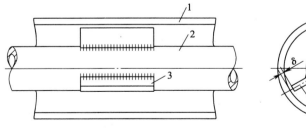

图5.3.2 夹套管定位板

1—外管;2—内管;3—定位板

5.3.3 定位板安装宜均匀布置,且不应影响环隙介质的流动和管道的热位移。

1 水平管非支撑点定位板安装(图 5.3.3-1)时,其中两块定位板应沿管道轴线竖直方向跨中布置。

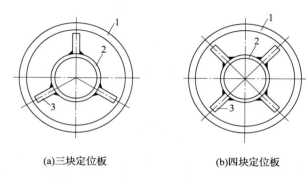

(a)三块定位板　　　　(b)四块定位板

图 5.3.3-1　水平管非支撑点定位板安装

1—外管;2—内管;3—定位板

2 水平管支撑点定位板安装(图 5.3.3-2)时,应有一块定位板布置在支撑受力方向。

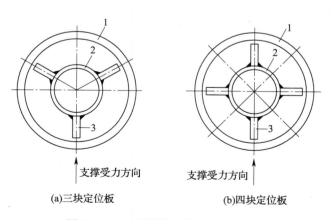

支撑受力方向　　　　支撑受力方向

(a)三块定位板　　　　(b)四块定位板

图 5.3.3-2　水平管支撑点定位板安装

1—外管;2—内管;3—定位板

3 垂直管定位板安装(图 5.3.3-3)时,其中两块定位板应沿内管热位移方向跨中布置。

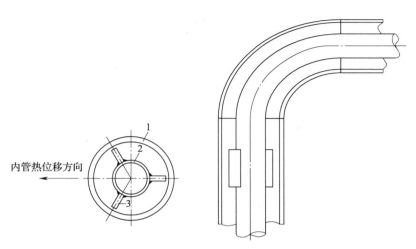

图 5.3.3-3 垂直管定位板安装

1—外管;2—内管;3—定位板

5.3.4 定位板安装间距(图 5.3.4)应符合设计文件规定。当设计文件无规定时,应符合表 5.3.4 的规定。

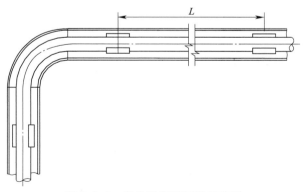

图 5.3.4 定位板安装间距示意图

L—直管段定位板安装最大间距

表 5.3.4 定位板安装间距

内管公称直径(mm)	直管段定位板安装最大间距(mm)
20~80	2500
100~125	4000
150~300	5000
350~500	5500

5.3.5 定位板尺寸(图 5.3.5)应符合设计文件规定。当设计文件无规定时,应符合表 5.3.5 的规定。

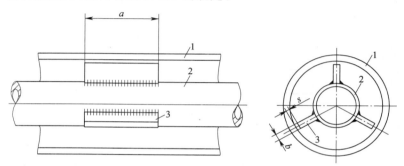

图 5.3.5　垂直管定位板安装

1—外管;2—内管;3—定位板

a—定位板长度;*b*—定位板厚度;*s*—定位板与外管内壁间隙

表 5.3.5　定位板尺寸(mm)

外管公称直径	*a*	*b*	*s*
50~80	30	8	2.0
100~200	50	10	2.5
250~300	50	10	3.0
350~600	50	10	5.0

5.3.6 定位板的焊缝应满焊,且不宜在管道焊缝处。

5.4 导 流 板

5.4.1 导流板的材质应与夹套管内管材质相同。

5.4.2 导流板安装应符合设计文件规定,间距应均匀。

5.4.3 导流板应与内管的外壁紧贴,宜采用点焊的形式进行固定,焊接应牢固可靠。

5.5 隔板和端板

5.5.1 隔板和端板的设置和数量应符合设计文件规定。

5.5.2 隔板和端板材质应与夹套管内管的材质相同,厚度应满足夹套外管压力和腐蚀度的要求。隔板和端板安装形式(图 5.5.2)应符合设计文件规定。

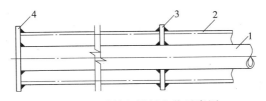

图 5.5.2　隔板、端板安装示意图

1—内管;2—外管;3—隔板;4—端板

6 夹套管焊接

6.1 一般规定

6.1.1 夹套管焊接应符合国家现行标准《工业金属管道工程施工规范》GB 50235 和《现场设备、工业管道焊接工程施工规范》GB 50236的有关规定。

6.1.2 从事施焊的焊工必须经考试合格并取得合格证书,在其考试合格项目及其认可的范围内施焊。焊工证必须在有效期内。

6.1.3 参加不锈钢的氩电联合焊接工作的焊工,应分别通过不锈钢手工氩弧焊和手工电弧焊考试。

6.1.4 对新钢种、新焊接材料或新工艺施焊的焊工,应进行补充技能考试,合格者才能施焊。

6.1.5 项目实施过程中,对每个焊工都应指定唯一编号。每个焊缝附近区域都应标注焊工识别号及焊缝编号。

6.2 焊接材料

6.2.1 各种焊接材料及其辅助材料应具有有效材质质量证明文件。

6.2.2 氩弧焊使用的氩气纯度应在 99.99% 以上,不熔化电极宜采用铈钨极。

6.2.3 焊接材料应根据母材钢种的化学成分、力学性能、焊接性能及使用条件等要求选择。特殊情况应与设计单位商定。

6.2.4 焊条保管和使用应严格遵守使用技术要点,贮藏、存放于通风良好、防潮、干燥的地方。现场施工的焊条需存放在保温桶内,保温桶供电应始终保持正常状态。

6.3 焊接工艺要求

6.3.1 工程焊接开始前,应进行焊接工艺评定,并编制焊接工艺规程。

6.3.2 在施焊过程中应按规定的焊接工艺进行焊接,且工序之间应有交接手续,并有焊接记录。

6.3.3 焊接坡口应确认无裂纹等缺陷,并应清除坡口区的毛刺、氧化物、水分和其他脏物。

6.3.4 不锈钢管宜采用氩弧焊或氩电联合焊,碳钢管根据工艺要求可采用氩电联合焊。

6.3.5 点固焊用的焊条、焊丝与正式焊缝所用的焊条、焊丝应相同,点固焊工艺条件与正式焊缝工艺条件应相同。

点固焊位置及点数应符合下列规定:

1 当管道公称直径小于或等于 100mm 时,应按 3 点均布,公称直径大于 100mm 时,4 点或 4 点以上宜均布;

2 点固焊点长度宜为 5mm～10mm,高度不宜超过管壁厚的 1/3;

3 点固焊点应避开交叉点。点固焊的焊肉如有裂纹等缺陷,应及时处理。

6.3.6 正式焊接前应检查点固焊点,且应确认无裂纹等缺陷时方准施焊。

6.3.7 引弧应在焊接坡口内进行,不得在管道母材上引弧。不锈钢焊接时,应在前一层焊缝冷却后再焊接后一层。焊缝及坡口的清理应用不锈钢丝刷或黄铜丝刷。焊接地线卡头宜用紫铜制作。

6.3.8 不锈钢管道焊接应符合下列规定:

1 宜采用氩弧焊打底充氩保护;

2 管道应有防飞溅沾污的措施。

6.3.9 定位板及内、外管连接处的角焊缝应防止内管烧伤、烧穿。施焊过程中应妥善保护法兰密封面、母材和临近设备。

6.3.10 焊缝缺陷修补时,应清除缺陷。不锈钢焊缝修补时,不得用碳弧气刨。

6.3.11 经检查合格的不锈钢焊缝及其热影响区,应用酸洗、钝化膏(或液)及时进行酸洗、钝化处理。

7 夹套管及附件的安装

7.1 一 般 规 定

7.1.1 夹套管安装应在建筑物或构筑物施工基本完成,与配管有关的设备及支、吊架已就位、固定、找平后进行。夹套管宜先于邻近有关的单线管安装。

7.1.2 夹套管安装前,管道、管件、阀门等的内部应已清理干净,无杂物。对管内壁有特殊要求的管道质量应符合设计文件的规定。

7.1.3 夹套管及附件安装应符合现行国家标准《工业金属管道工程施工规范》GB 50235 和设计文件的规定。

7.2 管 道 安 装

7.2.1 法兰、焊缝及其他连接件的设置应便于检修,并不得紧贴墙壁、楼板或管架。

7.2.2 夹套管安装时,其重量不应作用在转动设备上。不得强行组对或改变垫片厚度补偿安装误差。安装工作如间断进行,应及时封闭敞开管道和阀门端口。

7.2.3 夹套管安装的平面定位、标高、水平度、垂直度应符合设计文件规定,当设计文件无规定时,其允许偏差应符合下列规定:

    1 平面定位允许偏差应为±10mm;

    2 标高允许偏差应为±5mm;

    3 水平允许偏差应小于或等于 1/1000,且不得大于 20mm;

    4 垂直允许偏差应小于或等于 1/1000,且不得大于 15mm。

7.2.4 夹套管安装时,内、外管应同轴,且同心度偏差应符合表7.2.4 的规定。

表 7.2.4　夹套管内、外管同心度偏差(mm)

内管公称直径 DN	内外管同心度偏差
≤150	≤1.5
150～350	≤2.0
>350	≤3.0

7.2.5　有坡度的夹套管,其安装坡度应符合设计文件规定。调整安装坡度的垫板,不得加在管道与管托之间,应加在管托底板下面。

7.2.6　夹套管穿越墙壁、平台、楼板时,宜装设套管或防水套管。

7.2.7　夹套管附属的连接件应与夹套管预制同时施工完毕。

7.2.8　夹套管法兰在螺栓紧固前应检查其结合面的不平行度和间隙偏差。紧固后应检查法兰中心线的偏移值。法兰安装允许偏差(图 7.2.8)应符合表 7.2.8 的规定。

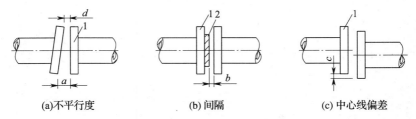

(a)不平行度　　　　　　(b) 间隔　　　　　　(c) 中心线偏差

图 7.2.8　法兰安装允许偏差示意图
1—法兰;2—垫片

表 7.2.8　法兰安装允许偏差 (mm)

法兰连接位置	不平行度(a−d)	间隙 b	中心线偏差 c
一般转动设备	≤0.15	≤0.5	≤0.5
高速转动设备	≤0.1	≤0.3	≤0.2
一般容器	≤0.5	≤1.0	≤1.0
一般配管	≤0.5	1.0～1.5	≤1.0
高压管道	≤0.1	≤0.2	≤0.3

7.2.9 夹套管安装使用的螺栓、垫片应符合设计文件规定。在施工过程中安装的临时垫片尺寸应与正式垫片相同,并应在安装位置作出醒目标志。

7.2.10 使用的垫片表面应符合本规范第 4.4.4 条～第 4.4.6 条的规定,且尺寸应与法兰相符。

7.2.11 法兰连接应使用同一规格螺栓,安装方向一致。紧固螺栓应对称均匀,且拧紧力矩应符合设计文件的规定。

7.2.12 高温夹套管使用的螺栓、螺母应涂以二硫化钼、石墨机油等"防烧结剂",垫片应涂密封膏。高温夹套管的螺栓、螺母在试运行时应按设计规定进行热紧。

7.2.13 夹套管焊缝位置布局应符合下列规定:

1 两环向焊缝间距,内管不宜小于 200mm,外管不宜小于 100mm;

2 环向焊缝距管架不宜小于 100mm,且不得留在过墙或楼板处;

3 夹套管外管剖切的纵向焊缝应置于易检修的部位;

4 在内管焊缝上,不得开孔或连接支管。外管焊缝上不宜开孔或连接支管。

7.2.14 夹套管安装完毕,应在管段的明显位置进行管线标识或挂牌。

7.3 跨接管安装

7.3.1 跨接管安装宜在夹套管安装工序结束,保温工作开始前进行,应符合设计文件要求。

7.3.2 夹套跨接管路应排放流畅,跨接管不得存液。

7.3.3 水平夹套管的跨接管垂直安装(图 7.3.3)应符合下列规定:

1 输送气态介质,跨接管应高进低出;

2 输送液态介质,跨接管应低进高出。

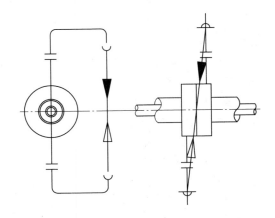

(a)法兰间跨接管

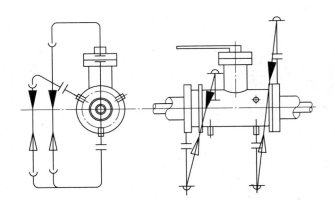

(b)法兰与阀门间跨接管

图 7.3.3　水平夹套管跨接管垂直安装示意图

注:空心箭头表示输送气态介质,实心箭头表示输送液态介质。

7.3.4　水平夹套管的跨接管水平安装(图 7.3.4),跨接管应与夹套管外管的底部相切,跨接管与外管接头距离(a)应最小。

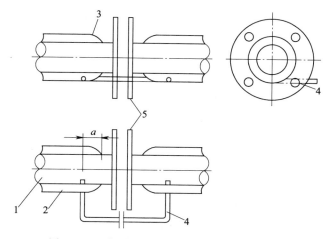

图 7.3.4　水平夹套管跨接管水平安装示意图

1—内管；2—外管；3—外管接头；

4—跨接管；5—法兰；a—跨接管与外管接头距离

7.3.5　垂直夹套管的跨接管安装(图 7.3.5)应符合下列规定：

　　1　输送气态介质,跨接管应高进低出；

　　2　输送液态介质,跨接管应低进高出。

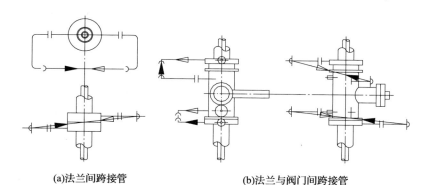

(a)法兰间跨接管　　　　　　(b)法兰与阀门间跨接管

图 7.3.5　垂直夹套管的跨接管安装示意图

注:空心箭头表示输送气态介质,实心箭头表示输送液态介质。

7.3.6 跨接管安装应紧凑美观,方便检修和操作。预留的跨接管孔应在系统清扫合格后,保温工作前完成封焊。

7.4 管 架 安 装

7.4.1 夹套管安装时,应固定和调整支、吊架。支、吊架位置应准确,安装应平整牢固,与管道接触应紧密。

7.4.2 夹套管吊杆(图7.4.2)应设在位移的相反方向,且安装偏移量应为1/2位移值。两根位移方向相反或位移不同的夹套管,不得使用同一吊杆。

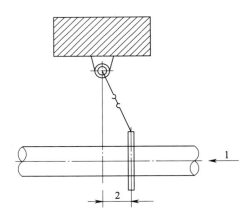

图7.4.2 夹套吊杆安装

1—管道膨胀方向;2—1/2位移值

7.4.3 导向支架或滑动支架的滑动面应洁净平整,不得有歪斜和卡涩现象。不得在滑动支架底板处临时电焊定位,仪表及电气构件不得焊在滑动支架上。导向板与管托(图7.4.3)之间的间隙应符合设计文件规定;当设计无规定时,导向板与管托之间应有2mm~3mm的间隙。有热位移的管道,当设计文件无规定时,支架安装位置应从支承面中心向位移反向偏移,且偏移量应为1/2位移值,绝热层不得妨碍其位移。

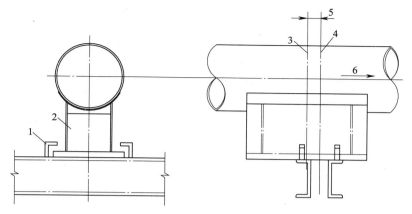

图 7.4.3 导向管托示意图

1—导向板；2—管托；3—管托中心线；4—管架中心线；

5—1/2 位移值；6—管道膨胀方向

7.4.4 焊接型管托与外管焊接应符合本规范第 6 章的有关规定。如采用卡箍形管托与外管固定时，应加垫石棉板隔热，且不得相对移动。

7.4.5 弹簧支、吊架的型号、规格及安装荷载定位销设定值应符合设计文件规定。

7.4.6 弹簧支、吊架的安装应符合设计要求，安装过程中不得松动定位销，应在系统强度试验完成后进行调整。

7.4.7 弹簧支、吊架的调整应满足其使用性能。安装荷载时，负荷位置应处于相应的标志线上。支、吊架的拉杆受力应均匀且略有弹性。

7.4.8 弹簧支、吊架应按调整步骤和程序进行调整，并应填好调整记录。弹簧支、吊架的一般调整步骤和程序应符合下列规定：

   1 运行前的检查调整：

     1）取出定位销；

     2）检查位移指示是否处于安装荷载标志位置；

     3）检查安装过程中，支、吊架部件有无过负荷、损伤及变形。

2 运行中的检查调整：

    1)根据指示位置,检查管道位移量；

    2)确认指示位置是否处在工作荷载标志处,如果误差大于
或等于 5mm,应予以调整。

8 夹套管的检验

8.1 一 般 规 定

8.1.1 夹套管的检验应符合现行国家标准《工业金属管道工程施工规范》GB 50235 和设计文件的有关规定。

8.1.2 制造厂预制加工的夹套管出厂时应有质量证明文件和试验报告,并注明无损检测、压力试验的结果和数值。

8.1.3 全夹套管封闭前,内管焊缝应裸露,应在内管施工完毕并经检验合格后,进行套管的封闭焊接。

8.2 外 观 检 验

8.2.1 外观检验应包括对管道组成件、管道支承件的检验以及在管道施工过程中的检验。

8.2.2 管道组成件及管道支承件、管道加工件、坡口加工及组对、管道安装的检验数量和标准应符合本规范第 3 章～第 7 章的有关规定。

8.2.3 除焊接作业指导书有特殊要求的焊缝外,所有焊缝应在焊接完成后立即除去渣皮、飞溅,并应将焊缝表面清理干净,进行外观检验。

8.2.4 管道焊缝的外观检验质量应符合国家现行标准《现场设备、工业管道焊接工程施工质量验收规范》GB 50683 的有关规定。

8.3 焊缝射线检测和超声波检测

8.3.1 夹套管道焊缝的内部质量应按设计文件的规定进行射线检测或超声波检测;没有明确要求时,射线探伤检测和超声波检测的方法和质量分级标准应符合现行国家标准《承压设备无损检测》

JB/T 4730 的有关规定。

8.3.2 超声波检测检查比例应为100％,检查合格标准应为Ⅰ级;射线探伤比例及要求应符合表8.3.2的有关规定和要求。

表8.3.2 射线检测标准及要求

类别		设计压力(MPa)	工作温度(℃)	工作介质	射线检查合格标准	规定检查比例(%)	隐蔽式焊缝检查比例(%)
内管	Ⅰ 高压管道	$P\geqslant10$	−20~350	工艺介质	Ⅱ级	100	100
	Ⅱ 中压管道	$1.6\leqslant P<10$	−20~350	工艺介质	Ⅱ级	20	100
	Ⅲ 低压管道	$0\leqslant P<1.6$	−20~350	工艺介质	Ⅱ级	20	100
	Ⅱ 真空管道	$P<0$	−20~350	工艺介质	Ⅱ级	20	100
外管	Ⅰ 中压管道	$1.6\leqslant P<10$	250~280	热媒	Ⅲ级	5	—
			20~250	蒸汽、热水	—	0	
			20~250	冷媒	Ⅲ级	5％	
	Ⅱ 低压管道	$0\leqslant P<1.6$	<350	热媒	Ⅱ级	20	

8.3.3 夹套管道焊缝抽样检验时,应对每一焊工所焊焊缝按规定的比例进行抽查,检验位置应由施工单位和建设单位的质检人员或监理单位确定。

8.3.4 夹套管道焊缝的射线检测应符合下列规定:

1 管道名义厚度小于或等于30mm的对接焊缝应采用射线检测。管道名义厚度大于30mm的对接焊缝可采用超声波检测代替射线检测。当规定采用射线检测但受条件限制需改用超声波检测时,应经设计单位同意,检验数量应与射线检测相同。

2 对不要求进行内部质量检验的焊缝,质检人员应按本章第8.2节的有关规定进行外观检验。

8.3.5 当抽样检验未发现需要返修的焊缝缺陷时,则该次抽样所代表的一批焊缝应认为全部合格;当抽样检验发现需要返修的焊缝缺陷时,必须进行返修,还应采用第8.3.4条规定的方法按下列规定进一步检验:

1 每出现一道不合格焊缝应再抽检 2 道同一焊工、同一批次的焊缝;

2 当同一焊工、同一批次的 2 道焊缝均检验合格时,应认为检验所代表的这一批焊缝合格;

3 当同一焊工、同一批次的 2 道焊缝不合格时,每道不合格焊缝应再检验 2 道同一焊工、同一批次的焊缝;检验合格时,可认为检验所代表的这一批焊缝合格;不合格时,应对同一焊工、同一批次焊缝全部进行检验。

8.4 焊缝表面无损检测

8.4.1 焊缝表面应按设计文件规定进行磁粉或液体渗透检验。磁粉检验和液体渗透检验应按现行国家标准《承压设备无损检测》JB/T 4730 的规定进行。

8.4.2 夹套管内、外管焊缝除外观检验外,还应按设计要求进行内部缺陷检查。有热裂纹倾向的焊缝应在热处理后进行检验。

8.4.3 夹套管道焊缝的射线检查应符合本规范第 8.3 节的有关规定。

8.4.4 当夹套管元件选用有缝焊接钢管或钢板制造时,全部焊缝应按现行国家标准《承压设备无损检测》JB/T 4730 进行 100% 无损检测,技术等级应达到 AB 级,Ⅱ 级合格。

8.4.5 高黏度介质夹套内管内表面应进行抛光,焊缝区应进行打磨,焊瘤不应超过 1mm;内管内壁表面粗糙度(包括焊缝部分)应符合设计文件要求或不宜低于现行国家标准《产品几何技术规范(GPS)表面结构 轮廓法 表面粗糙度参数及其数值》GB/T 1031 中的 $Ra3.2$。

8.4.6 夹套管的角焊缝和法兰焊缝均应进行着色试验检查,合格后可进行下一步工作。

8.4.7 对于奥氏体不锈钢及奥氏体-铁素体不锈钢与碳素钢异质焊缝的每一层都应做着色检验,检验合格后可焊接下一层焊缝。

着色检验标准宜按现行国家标准《承压设备无损检测》JB/T 4730进行。

8.4.8 每个焊口的焊渣和焊缝两侧的残余物应及时清除,焊缝的外观检查宜使用 5 倍～10 倍放大镜和焊口检测仪等工具。

8.4.9 焊缝表面应平整光洁,两侧过渡应平缓。焊缝表面有缺陷时,应及时消除,且消除后应重新进行检验,直至合格。

8.4.10 各种检查过程中发现的缺陷应予以返修,重新焊接,且应检查至合格为止。

9 夹套管系统的试验

9.1 一 般 规 定

9.1.1 管道安装完毕,热处理和无损检测合格后,除本规范第9.1.2条规定的压力试验可替代的情况外,每个管道系统应进行压力试验。

9.1.2 当管道的设计压力大于0.6MPa时,设计单位和建设单位认为液压试验不切实际时,可用本规范第9.3节规定的气压试验来替代,但应采取有效的安全措施。

9.1.3 现场条件不允许进行管道液压和气压试验时,应经建设单位和设计单位同意,可采取无损检测、管道系统柔性分析和泄漏试验替代压力试验,并应符合下列规定:

　　1 所有环向、纵向对接焊缝和螺旋焊焊缝应进行100%的射线检测或100%超声波检测;

　　2 未包括在本条第1款中的所有焊缝,包括管道支承件与管道组成件连接的焊缝,应进行100%渗透检测,对于磁性材料则应进行100%磁粉检测;

　　3 管道系统柔性分析方法和结果应符合国家现行有关标准的规定;

　　4 管道系统应采用敏感气体或浸入液体的方法进行泄漏试验,且试验要求应在设计文件中明确规定。

9.1.4 内管加工完毕,焊接部位应裸露进行压力试验。

9.1.5 进行压力试验时,应划定禁区,无关人员不得进入。

9.1.6 压力试验合格后,不得在管道上进行修补,且应填写"管道系统压力试验记录"。

9.2 液 压 试 验

9.2.1 试验液体应使用洁净水,奥氏体不锈钢管道或对连有奥氏体不锈钢组成件或容器的管道进行试验时,水中氯离子含量不得超过 25ppm。如果水对管道或工艺有不良影响并有可能损坏管道或不安全时,可使用其他合适的无毒液体。采用可燃液体进行试验,闪点不得低于 50℃,并应采取安全防护措施。

9.2.2 液压试验前,注入液体时应排尽空气。

9.2.3 液压试验时,环境温度不宜低于 5℃,环境温度低于 5℃时,应采取防冻措施。

9.2.4 管道液压试验的试验压力应符合下列规定:

1 承受内压的地上钢管及有色金属管道试验压力应为设计压力的 1.5 倍。

2 承受内压的管道,设计温度高于试验温度时,试验压力应按下式计算:

$$P_T = 1.5P[\sigma]_T/[\sigma]^t \qquad (9.2.4)$$

式中:P_T——试验压力(表压)(MPa);

$\quad\quad P$——设计压力(表压)(MPa);

$\quad\quad [\sigma]_T$——试验温度下管材的许用应力(MPa);

$\quad\quad [\sigma]^t$——设计温度下管材的许用应力(MPa)。

当 $[\sigma]_T/[\sigma]^t$ 大于 6.5 时,取 6.5。

当 P_T 在试验温度下产生超过屈服强度的应力时,应将试验压力 P_T 降至不超过屈服强度的最大压力。

3 承受外压(或真空)的内管,试验压力应为设计内、外压差的 1.5 倍,且应不低于 0.2MPa。

9.2.5 当管道与设备作为一个系统进行试验,管道的试验压力等于或小于设备的试验压力时,应按管道的试验压力进行试验。当管道的试验压力大于设备的试验压力,并无法将管道与设备隔开,以及设备试验压力大于按本规范式(9.2.4)计算的试验压力的

77%时,经设计或建设单位同意,可按设备的试验压力进行试验。

9.2.6 液压试验应缓慢升压,待达到试验压力后,稳压10min,再将试验压力降至设计压力,稳压30min,检查压力表应无压降,管道所有部位应无渗漏。

9.2.7 当试验过程中发现泄漏时,不得带压处理。消除缺陷后,应重新进行试验。

9.3 气 压 试 验

9.3.1 气压试验的介质应采用干燥洁净的空气、氮气或其他不易燃和无毒的气体。

9.3.2 承受内压的金属管道,试验压力应为设计压力的1.15倍,真空管道的试验压力应为0.2MPa。

9.3.3 试验前应进行预试验,预试验的压力宜为0.2MPa。

9.3.4 试验时,应逐步缓慢增加压力,当压力升至试验压力的50%时,如未发现异状或泄漏,继续按试验压力的10%逐级升压,每级稳压3min,直至试验压力,并稳压10min,再将压力降至设计压力,采用发泡剂检验应无泄漏,保压时间应根据查漏工作需要而定。

9.4 其 他 试 验

9.4.1 泄漏性试验应按设计文件的规定进行,并应符合下列规定:

1 输送极度和高度危害介质以及可燃介质的管道,必须进行泄漏性试验;

2 泄漏性试验在压力试验合格后进行,试验介质宜采用空气,也可按照设计文件或者相关标准的规定,采用卤素、氦气、氨气或者其他敏感气体进行较低试验压力的敏感性泄漏试验;

3 泄漏性试验可结合试车工作一并进行;

4 泄漏性试验应逐级缓慢升压,当达到试验压力,并停压

10min 后,应采用涂刷中性发泡剂等方法,重点检验阀门填料函、法兰或螺纹连接处、放空阀、排气阀、排水阀等所有密封点应无泄漏;

5 经气压试验合格,且在试验后未经拆卸过的管道可不进行泄漏试验。

9.4.2 真空度试验应符合下列规定:

1 应按设计文件规定进行 24h 的真空度试验,增压率不应大于 5%。增压率应按下式计算:

$$\Delta P = (P_2 - P_1)/P_1 \times 100 \qquad (9.4.2)$$

式中:ΔP——24h 的增压率(%);

P_1——试验初始压力(表压)(MPa);

P_2——试验最终压力(表压)(MPa)。

2 当设计文件规定以卤素、氦气、氨气或其他方法进行泄漏性试验时,应按相应的技术规定进行。

9.4.3 操作压力为真空的夹套管内管,在真空度试验时,可采用氦检漏仪进行泄漏性检验。

10 夹套管系统的吹扫和清洗

10.0.1 夹套管道系统在安装完成并已进行试压合格后,应进行系统的吹扫和清洗工作,设计文件中有特殊规定的除外。

10.0.2 夹套管系统应按内、外管分别进行吹扫。吹扫前,应先根据系统操作工况要求、工作介质特性和工艺系统设计文件的要求制订具体的、有针对性的吹扫方案和安全防护措施,划定吹扫警戒区域。

10.0.3 管道吹扫与清洗方法应根据管道的使用要求、工作介质、系统回路、现场条件及管道内表面脏污程度确定,并应符合下列规定:

    1 吹扫介质如无特殊要求,宜采用压缩空气,压缩空气应干燥洁净;

    2 蒸汽管道应采用低压蒸汽吹扫,非热力管道不应采用蒸汽吹扫;

    3 高温非蒸汽和非高温水的管道,应采用压缩空气吹扫,或按照设计文件要求执行;

    4 压缩空气设计吹扫气速不应小于 20m/s,蒸汽吹扫气速不得小于 30m/s;

    5 夹套管系统有特殊要求的,应按照设计文件的特殊要求制订相应的吹扫方案;

    6 内管公称管径大于或等于 600mm 的管道,可以采用人工清理;

    7 内管公称管径小于 600mm 的液体管道宜采用水冲洗;

    8 内管公称管径小于 600mm 的气体管道宜采用压缩空气吹扫。

10.0.4 不能参与吹扫的设备、管道、仪表、阀门、孔板等应暂时拆除,并应以模拟体或临时短管替代,待管道系统吹洗合格后应重新复位。对以焊接形式连接的上述阀门、仪表等部件,应采用流经旁路或卸掉阀头及阀座加保护套等保护措施后再进行吹扫与清洗。

10.0.5 空气吹扫时,应在排气口设置贴有白布或涂刷白色涂料的木制靶板进行检验,吹扫 5min 后靶板上应无铁屑、尘土、水分及其他杂物。

10.0.6 吹扫顺序应为先内管,再外管;先主管,再支管。

10.0.7 吹扫前应先检查管架情况,确保吹扫安全,临时管架应设置在内、外管间设有定位块的位置。如采用蒸汽吹扫,吹扫前应先缓慢充分暖管,并应及时疏水。暖管时,应检查管道的热位移,当有异常时,应及时进行处理。

10.0.8 每个系统吹扫完成后,应出具吹扫记录和报告,且应便于查找和核对。

10.0.9 夹套管系统宜采用清洁水或蒸汽清洗,设计文件有特殊要求,应按设计文件要求执行。冲洗奥氏体不锈钢管道时,清洁水中氯离子含量不得超过 25ppm。对于不能用水或蒸汽清洗的系统,可只进行吹扫工作。

10.0.10 吹扫和清洗过程中产生的废水、废渣物应妥善处理,不得污染环境。

11 夹套管工程的交工验收

11.0.1 夹套管交工验收时,应提交下列技术文件:

1 管道元件检查记录;

2 阀门检验记录,安全阀调整记录;

3 管道焊接检查记录;

4 焊缝返修检查记录;

5 夹套管预制质量检查记录;

6 设计修改、材料代用单;

7 管道安装质量检查记录;

8 管道隐蔽工程(封闭)记录;

9 管道支、吊架安装记录(包括弹簧支吊架调整记录);

10 管道静电接地测试报告;

11 磁粉检测报告;

12 渗透检测报告;

13 射线检测报告;

14 超声波检测报告;

15 管道热处理报告;

16 硬度检测、光谱分析及其他理化试验报告;

17 管道系统吹扫与清洗记录;

18 管道系统压力试验和泄漏性试验记录;

19 管道防腐、绝热施工检查记录。

11.0.2 应绘制夹套管竣工图。竣工图上应标明焊缝编号、无损检验方法、局部无损检验焊缝的位置、底片编号、热处理焊缝位置及编号、焊缝补焊位置及施焊焊工代号。

本规范用词说明

    1   为便于在执行本规范条文时区别对待,对要求严格程度不同的用词说明如下:

    1)表示很严格,非这样做不可的:

        正面词采用"必须",反面词采用"严禁";

    2)表示严格,在正常情况下均应这样做的:

        正面词采用"应",反面词采用"不应"或"不得";

    3)表示允许稍有选择,在条件许可时首先应这样做的:

        正面词采用"宜",反面词采用"不宜";

    4)表示有选择,在一定条件下可以这样做的,采用"可"。

    2   条文中指明应按其他有关标准执行的写法为:"应符合……的规定"或"应按……执行"。

引用标准名录

《工业金属管道工程施工规范》GB 50235

《现场设备、工业管道焊接工程施工规范》GB 50236

《现场设备、工业管道焊接工程施工质量验收规范》GB 50683

《气焊、焊条电弧焊、气体保护焊和高能束焊的推荐坡口》GB 985.1

《埋弧焊的推荐坡口》GB 985.2

《产品几何技术规范(GPS)表面结构　轮廓法　表面粗糙度参数及其数值》GB/T 1031

《钢制对焊无缝管件》GB/T 12459

《钢板制对焊管件》GB/T 13401

《钢制管法兰》(class 系列) HG/T 20615

《承压设备无损检测》JB/T 4730

中华人民共和国纺织行业标准

夹套管施工及验收规范

FZ 211-2013

代替 FJJ 211-86

条 文 说 明

修 订 说 明

　　《夹套管施工及验收规范》FZ 211—2013,经中华人民共和国工业和信息化部 2013 年 10 月 17 日以第 52 号公告批准发布。

　　本规范是在《夹套管施工及验收规范》FJJ 211—86 的基础上修订而成,上一版的主编单位是仪征化纤工业联合公司,主要起草人是张国栋、董瑞丰。

　　为便于广大设计、施工、科研、学校等单位有关人员在使用本规范时能正确理解和执行条文规定,《夹套管施工及验收规范》编制组按章、节、条顺序编制了本规范的条文说明,对条文规定的目的、依据以及执行中需注意的有关事项进行了说明。但是本条文说明不具备与规范正文同等的法律效力,仅供使用者作为理解和把握规范规定的参考。

目　　次

1 总 则

1.0.1 本规范所称"纺织工业"是"大纺织"的概念,涵盖各类纺织、印染、纺织服装制造工程、化学纤维及部分化学纤维原料制造工程等。即现行国家标准《国民经济行业分类》GB/T 4754—2002 中第 17 大类纺织业(包括棉、化纤纺织及印染加工,毛、麻、丝绢纺织和加工,纺织制成品制造中的非织造布制造、帘子布制造等),第 18 大类中的纺织服装制造业,第 28 大类化学纤维制造业,也包括部分化学纤维原料制造业(本规范涉及的化纤原料制造指粘胶纤维的浆粕制造、石油化纤聚合物制造中的聚合部分等)。详见图 1。

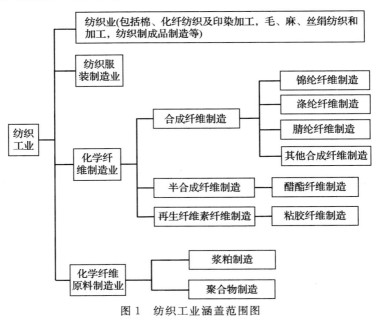

图 1　纺织工业涵盖范围图

1.0.3 由于施工过程中可能需要优化或改动设计,增加了本条规定,以保证管道系统工作时的安全。

1.0.4 由于夹套管仅是管道形式有些特殊,对安装检查过程有些相应的特殊要求,其材质、焊接、检验过程与现行的其他金属管道施工验收规范并不冲突,用"尚应符合国家现行有关标准的规定",概括了夹套管的施工及验收应执行的全部内容。

2 术 语

对现行国家标准《工业金属管道工程施工规范》GB 50235 中未涉及的名词术语加以补充解释。

凡现行国家标准《工业金属管道工程施工规范》GB 50235 中已经有的名词术语,本规范不再列入。

2.0.3 夹套管内管所有焊缝均在外部可见的形式,该部分没有外夹套管层,维修、检查方便,缺点是所有内管焊缝周边无保温或保冷介质,对工艺介质温度保持稳定具有一定影响,仅用于夹套管的某些特定部位。

2.0.4 夹套管内管所有焊缝均被夹套管外层遮盖,无法从外观看见,维修、检查不便,但它是能够保证内管的工艺介质温度稳定的焊缝形式。

2.0.6 隔板孔径略大于内管外径,外形直径不小于外管外径10mm,与内管外壁和外管外壁焊接。

2.0.7 导流板起着扰动流体、改变流体方向的作用,能达到使夹套内介质温度均匀的效果。

3 夹套管管道及管件加工

3.1 一般规定

3.1.1 本条根据《特种设备安全监察条例》(2009 年修订)第十五条的规定及《压力管道安全技术监察规程——工业管道》TSG D0001—2009第二章第十八条的规定制订。

3.1.2 夹套管多为小批量定制,供货厂家多为小型管件厂,为了保证产品质量,管道元件应符合相关标准要求。

3.2 管道和管件的加工

3.2.1 夹套管设计图纸上往往不标示管道分段情况,夹套管元件制造单位应根据夹套管设计图纸,综合考虑管道的焊接和焊缝的无损检测,合理确定管道分段,尽量减少环焊缝的数量,提高管道的安全性。

3.2.3 半壳管是夹套外管特有的管道形式,对其提出质量要求也是保证夹套管系统安装质量的重要环节。

3.2.4 由于管道安装现场条件限制,现场加工管道焊接坡口有一定困难,特别是大直径的夹套管道,管壁较厚,需要用车床加工才能满足要求,这对制造厂相对容易,对现场安装则有一定困难。

3.2.6 本条对异径管、三通制作作出规定。

    2 剖切三通是夹套外管的特有形式,为了保证安装质量,制订本款要求。

4 夹套管材料及元件的检验

4.1 一般规定

4.1.1 具有制造厂的质量证明文件、符合设计文件及相关标准的要求是对夹套管元件检验的基本原则。

4.1.2 本条根据现行国家标准《工业金属管道工程施工规范》GB 50235—2010第4.1.2条和第4.1.3条的规定制订。

4.1.4 市场上合金钢管道生产厂家众多,质量参差不齐,对材料复检是保证材料符合标准的有效办法。

4.2 钢管的检验

4.2.1 本条根据《压力管道安全技术监察规程——工业管道》TSG D0001—2009 第二章第十八条的规定制订。

4.2.3 本条根据现行行业标准《石油化工有毒、可燃介质管道工程施工及验收规范》SH 3501—2011 第5.2.4条的规定及现行国家标准《工业金属管道工程施工规范》GB 50235—2010 第4.1.3条的规定制订。

4.2.4 本条参照现行国家标准《工业金属管道工程施工规范》GB 50235—2010第4.1.6条的规定制订。

4.2.7 本条参照现行国家标准《工业金属管道工程施工质量验收规范》GB 50184—2011 第4.0.5条的规定及《工业金属管道工程施工规范》GB 50235—2010 第4.3.1条的规定制订。

4.3 管件的检验

4.3.5 夹套管部分管件为非标准管件,对其明确技术要求,有利于保证产品质量。

4.4 夹套管法兰及其连接件的检验

4.4.1 夹套管法兰多为非标准法兰,故应该有详细规定。

4.4.8 本条参照现行国家标准《工业金属管道工程施工规范》GB 50235—2010第4.3.2条和现行国家标准《工业金属管道工程施工质量验收规范》GB 50184—2011第4.0.7条的规定制订。

5 夹套管预制

5.1 一般规定

5.1.1 本条对夹套管所需材料的清洁度作出规定。

5.1.2 本条是对夹套管的预制管线进行细化规定,满足现场施工要求,减少资源消耗,保证施工质量。

5.1.3 本条是对预制管段的分段进行原则性的规定,调整段预留长度是为方便现场安装调整。要求综合考虑管道坡度,垫片厚度,支、吊架位置,焊缝布局,检测点(温度计、压力表接头等)开孔等是为了使管道安装符合本规范的要求。

5.1.4 管道预制过程完成后,当组合件的刚度不够时,应对组合件进行临时加固。

5.1.5 本条规定是为了保证内管的施工质量,内管焊缝裸露可见是为了方便内管的各项质量检查。

5.1.6 本条规定是为了保证装置运行工艺参数的准确性。

5.1.8 本条规定是为了方便内管的各项检测和试验。

5.1.10 本条规定是为了满足施工过程后续施工的要求。

5.1.12 本条是强调输送高黏度介质的夹套内管内表面焊缝的表面处理,保证其满足生产工艺要求。

5.1.13 本条对管段预制的几何尺寸作出规定。

5.2 夹套管法兰

5.2.1 常用法兰形式有:

(1)一般工艺夹套管填充焊套法兰形式(图2);

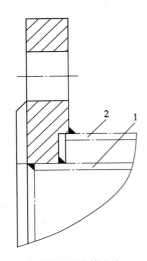
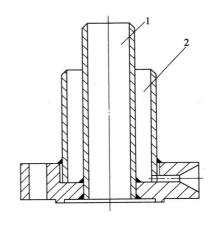

(a)夹套管法兰内管连接　　　　　　(b)DN65以下低压夹套管法兰

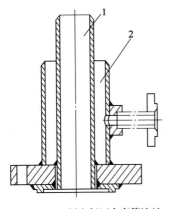
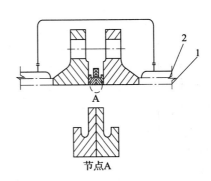

节点A

(c)DN65以上低压夹套管法兰　　　　(d)唇焊管法兰形式

图2　填充焊套法兰形式

1—内管；2—外管

（2）输送高黏度介质的夹套管特殊法兰形式（图3）。

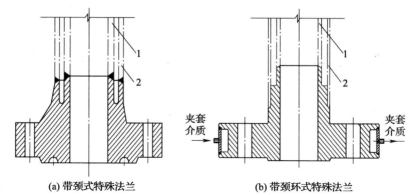

(a) 带颈式特殊法兰   (b) 带颈环式特殊法兰

图 3　熔融介质管道夹套管特殊法兰形式

1—内管；2—外管

5.2.3　本条规定是为了保证管内介质流动顺畅。

5.2.4　本条规定是对法兰安装的外观要求，防止出现可见的外观质量问题而引起管道的安装质量问题。

5.3　定　位　板

5.3.1　采用与内管同材质的材料，能保证其可焊性。

5.3.3　本条对定位板在不同安装位置的布置方式作出规定，防止定位板影响环隙介质的流动和管道的热位移。

5.4　导　流　板

5.4.1　采用与内管同材质的材料，能保证其可焊性。

5.4.3　本条对导流板的焊接形式作出规定。

5.5　隔板和端板

5.5.1　夹套管中一定数量的隔板和端板可把夹套管划分成几个系统，使夹套中的介质均匀地在相应外管段中流动，对内管产生最佳的热效应。

5.5.2　隔板和端板采用与内管相同材质的材料，能保证其可焊性。

6 夹套管焊接

6.1 一 般 规 定

6.1.2 进入现场作业焊工,必须持有有效的焊工证。施工单位必须将现场所有焊工的焊工证上报业主(监理)审查。只有获得认可的焊工才能从事现场焊接工作。

7 夹套管及附件的安装

7.1 一 般 规 定

7.1.1 夹套管制作安装复杂,在安装时应优先考虑。

7.1.3 在夹套管安装中,阀门、补偿器、静电接地等的安装方法和要求与工业金属管道相同,在本条直接引用现行国家标准《工业金属管道工程施工规范》GB 50235 的相关规定。

7.2 管 道 安 装

7.2.1 本条规定按现行国家标准《工业金属管道工程施工规范》GB 50235 进行修改。

7.2.2 本条规定是为了防止管道的重量和应力影响设备运行。

7.2.5 本条对管道支架垫板加设的位置作了规定。

7.2.7 夹套管附属的连接件主要指温度计、压力计接头等。

7.2.8 本条规定是为了保证联接件的施工质量。

7.2.9 本条对临时垫片的安装位置作出醒目标志的规定,是便于系统试验前予以更换。

7.2.12 本条中对高温夹套管使用的螺栓、螺母应涂以二硫化钼、石墨机油等"防烧结剂",垫片应涂密封膏的规定,是为了方便管道拆卸和维修。

7.3 跨接管安装

7.3.4 本条是根据现行国家标准《石油化工管道伴管及夹套管设计规范》SH/T 3040 的有关规定制订的。

7.3.5 若输送的气态介质是气相热媒,本条第 1 款不适用。

7.4 管 架 安 装

7.4.2 管道支架安装时必须考虑系统运行时管道的热位移。为了保证系统的安全,本条对不同热位移的管道吊杆作出规定。

7.4.3 本条对导向支架、滑动支架的安装作出规定,防止其影响管道和热位移。

8　夹套管的检验

8.2　外　观　检　验

8.2.1　本条规定参照现行国家标准《工业金属管道工程施工规范》GB 50235—2010 第 8.2.1 条制订。

8.2.3　本条规定参照现行国家标准《工业金属管道工程施工规范》GB 50235—2010 第 8.2.2 条制订。

8.3　焊缝射线检测和超声波检测

8.3.4　本条对夹套管道焊缝的射线检测作出规定。

　　1　受目前工程技术条件限制,确有部分夹套外管焊缝不能进行射线探伤,根据实际情况作出本款规定。

8.4　焊缝表面无损检测

8.4.1　本条为不能进行射线或超声波检测的焊缝提供了解决办法,是参照现行国家标准《工业金属管道工程施工规范》GB 50235—2010第 8.3.2 条的规定制订的。

8.4.4　对于夹套管,外管封闭后,内管焊缝缺陷难以发现和整改,提高内管焊缝探伤要求,可以保证内管焊缝质量。

8.4.5　高黏度介质在内管内停留时间有要求,保证内管内壁表面粗糙度,可以促进熔融介质流动,缩短停留时间。

8.4.8　清除焊口的焊渣和焊缝两侧的残余物时,应特别注意夹套管内腔的残留物,以防间隙堵塞。

9 夹套管系统的试验

9.1 一 般 规 定

9.1.2、9.1.3 这两条参考了现行国家标准《工业金属管道工程施工规范》GB 50235 和《压力管道规范 工业管道 第5部分:检验与试验》GB/T 20801.5 中关于压力试验替代的规定。结合近些年已正常生产的关于夹套管压力试验的具体做法,比现行国家标准《工业金属管道工程施工规范》GB 50235 的规定增加了现场条件不允许进行液压和气压试验时,经建设单位和设计单位同意,同时采取下列方法可以替代压力试验:

(1)无损检测;

(2)按管道应力计算的有关规定,进行管道系统柔性分析;

(3)泄漏试验。

9.1.6 管道系统压力试验记录表可参照现行国家标准《工业金属管道工程施工规范》GB 50235—2010 附录 A 中表 A.0.16。

9.2 液压试验

9.2.1 如果夹套伴热介质采用导热油,则夹套外管不允许采用水做压力试验,因为导热油里混入水后,在高温下水汽化,会造成局部压力升高,容易发生危险。压力试验可采用气压或用导热油作为液压试验的流体。

9.2.4 本条对管道液压试验的试验压力作出规定。

1 《夹套管施工及验收规范》FJJ 211—86 规定强度试验的压力分中、低压和高压管道,中、低压管道:强度试验的压力取设计压力的 1.25 倍;高压管道:强度试验的压力取设计压力的 1.5 倍。参考现行国家标准《工业金属管道工程施工规范》GB 50235 等国内通用标准关于压力试验压力的规定,结合国内具体做法统一规定为:承受内压的管道,试验压力应为设计压力的1.5倍。

2 《夹套管施工及验收规范》FJJ 211—86仅规定碳钢管设计温度高于200℃时,强度试验压力按下式计算:

$$P_s = K P_a [\sigma]_1 / [\sigma]_2$$

式中:P_s——常温时试验压力(表压)(MPa);

$\quad\quad K$——系数,中、低压取1.25,高压取1.5;

$\quad\quad P_a$——工作压力(表压)(MPa);

$\quad\quad [\sigma]_1$——常温时管材的许用应力(MPa);

$\quad\quad [\sigma]_2$——工作温度下管材的许用应力(MPa)。

当$[\sigma]_1 / [\sigma]_2$最大时,取1.8。

原规定局限性较强,不容易操作,也与其他通用规范不统一,故本款对此作了修正。

3 《夹套管施工及验收规范》FJJ 211—86仅规定了真空管道试验压力为0.2MPa。本规范对此作修正后,通用性更强。

9.3 气 压 试 验

9.3.3 《夹套管施工及验收规范》FJJ 211—86没有规定气压试验的预试验,从安全考虑,本次修订增加此条。

9.4 其 他 试 验

9.4.1 本条对泄漏性试验作出规定。

1 本款依据现行行业标准《压力管道安全技术监察规程——工业管道》TSG D0001—2009作了强制性条文的规定:"输送极度和高度危害介质以及可燃介质的管道,必须进行泄漏性试验。"而对于其他管道,则应根据实际情况由设计区别对待。

2 本款取消了《夹套管施工及验收规范》FJJ 211—86中真空管道泄漏性试验试验压力不小于1kgf/cm的规定。按照现行国家标准《压力管道安全技术监察规程——工业管道》

TSG D0001—2009的第九十三条规定了泄漏性试验的试验压力。真空管道工程上通常做法为先进行气压强度试验,试验压力为0.2MPa,按本条第5款的规定,经气压试验合格,且在试验后未经拆卸过的管道可不进行泄漏试验。

9.4.2 本条对真空度试验作出规定。

　　2　《夹套管施工及验收规范》FJJ 211—86中涉及氟利昂检漏试验。由于氟利昂对环境的影响,许多国家已禁止使用,本次修订取消了该条。

9.4.3　氦检漏是灵敏度较高的一种真空试验。目前,对真空度要求较高的生产装置如聚酯装置,常用且有效的检漏方式是氦检漏。试验时,将内管抽到要求的真空度,在法兰连接处等怀疑漏点处喷适量的氦气,如果与内管连接的氦检漏仪发出报警信号,说明此处氦气通过漏点进入内管系统,查出漏点,对漏点进行处理后,再重复进行氦检漏,直至合格为止。

10 夹套管系统的吹扫和清洗

10.0.2、10.0.3 对于使用联苯热媒等高温条件的夹套管系统,不允许使用蒸汽吹扫和清洗。在制订吹扫方案的同时,制订安全防护措施是必要的,以避免在使用带压空气和热的水蒸气时,造成人员伤害。

10.0.5 吹扫检查可通过目测直接来做判断,对于已经完成吹扫的系统,如不能马上与设备等系统焊接时,应做好封口或用盲板封好,避免二次污染。

10.0.7 被吹扫的夹套管系统最好在其安装位置进行,以便完成吹扫清洗工作后,直接与相关系统连接,对于不方便在安装位置完成吹扫清洗工作的系统,也可将整个系统移到安全区域设置临时管架加固后,进行吹扫清洗工作,完成后再完成对接工作,条文中对临时管架的设置位置作了规定。对于较大系统,可以预先划分为几个小系统分别完成吹扫清洗工作。